5/23

H6

Motel Galactic

Révision texte : Judith Langevin et David Rancourt
Révision image : Vincent Giard
Grille graphique : Nadine Brunet

Dépôt légal – 2ᵉ trimestre 2011
Bibliothèque et Archives nationales du Québec
Bibliothèque et Archives Canada
ISBN 978-2-9811128-8-0

Pierre : «J'aimerais remercier Francis Desharnais pour l'hommage sympa qu'il
a fait à mon oeuvre et par la bande, à moi-même. Rien pour dégonfler mon égo
démesuré... Spécial dédicace au sculpteur Mathieu Gotti pour le design de la
crazy carpet du futur (p.87). Je voudrais aussi remercier Luc Bossé pour sa gé-
nérosité : jamais éditeur ne m'a fourni autant en crayon 3B et en papier aquarelle.
Longue vie à Pow Pow!»

Les Éditions Pow Pow remercient Sumo Industries, Yéti animation, Get a Room,
Envol & Macadam et District 7 pour nous avoir accueilli dans leur salle de con-
férence lors de la production de ce livre.

www.editionspowpow.com

SCÉNARIO

Francis Desharnais

DESSIN

Pierre Bouchard

Alpha du Centaure, 2514. Mon soda de spatio-jet me fait encore du trouble. C'est ça qui arrive quand t'achètes d'occasion. En plus, je l'ai acheté d'un Sprougnien et les Sprougniens sont réputés pour être crosseurs.

Mais moi je me disais que c'était des préjugés pis que ça devait pas être si pire. En tout cas, celui qui me l'a vendu fait honneur aux préjugés. Heureusement que je suis proche de la planète d'Elvis Presley 19.10.9. C't'un gars correct, il devrait pouvoir m'aider.

Ça s'peut que vous ne compreniez pas tu-suite. En 2514, sa fait déjà trois cents ans qu'on a maîtrisé la technique du clonage. Les gens ne font quasiment plus de bébés, ils préfèrent se cloner eux-mêmes.

Vous allez en prendre combien?

M'a t'en prendre une douzaine, m'a en avoir pour une secousse!

C'est une façon pour le monde de prolonger leur vie. Moi je trouve sa cave, c'est pas parce que t'es un clone que t'as forcément la même personnalité. Tsé, quand c'est pas ton père, mais "toi-même" qui te fourre la volée, sa fait pas forcément un équilibre psychologique ben fort. Anyway.

Quand une personne se clone, elle augmente le numéro de la version. En général sur Alpha du Centaure, le monde sont rendus à une douzaine de versions d'eux-mêmes.

Moi je suis juste la deuxième version d'un gars qui s'appelait Pierre Bouchard. Ça a l'air qu'il restait sur Terre dans les années 1990-2000. Il est mort dans un accident de ski-doo.

Il était congelé dans le lac de l'île-aux-ours. Ils ont pu prélever des cellules. S'ils m'ont cloné, c'est parce que c'était le seul moyen pour les scientifiques de ressusciter la race du Saguenay. Ça a l'air qu'il faut qu'il y ait de la diversité génétique, sinon on est dans 'marde. Personnellement je vois pas l'intérêt mais bon. C'pas moi le boss.

Après ça ils m'ont fait une petite modification dans mon ADN. Le Pierre Bouchard 1.0 (c'est de même qu'on appelle l'original) avait un problème aux poumons. Moi, j'ai pas à m'inquiéter de ça.

C'est pour ça que j'ai un «1» après mon «2». Ça indique les modifications apportées au code génétique. Je suis Pierre Bouchard 2.1.1.

La seule affaire, y'a eu un p'tit bogue quand ils m'ont cloné. Ma vue est pas aussi bonne qu'a devrait. Ça fait qu'y m'ont donné des barniques. Le troisième chiffre (le dernier 1, de 2.1.1) indique les prothèses physiques qu'on porte. Moi c'est des lunettes. C'est pas si pire, ça pourrait être des broches.

William Williamson
3.1.2

Roger Sirois 4.1.3

Moi 2.1.1

Le premier Pierre Bouchard aimait bien dessiner. Moi j'ai déjà essayé mais maintenant ça sert pu à rien. Astheure, tu peux t'acheter un module pour extraire les images que t'as dans la tête pis les mettre directement sur une feuille ou dans un ordi.

Y'a pu de réalisateur, de dessinateur ou de photographe.
Y'a juste du monde qui pensent pis d'autres qui
regardent ce que les autres ont pensé. Pas obligé d'avoir
du talent. T'as juste à rêver.

BON Tout ça règle pas mon soda de problème de
spatio-jet de marde. Je sais qu'Elvis
est pas loin mais je suis pas sûr de la
planète exacte. Heureusement y'a une
binerie pas loin. J'vas aller me renseigner
là-bas.

C'est chez **PEDRO** Guedille Cosmique. C'est là que les gros transporteurs arrêtent pour prendre un repas sur le pouce. Y'a un petit camping aussi, mais moi j'y suis jamais allé. Ça a l'air qu'y'a des affaires louches qui s'y passent, je vous en reparlerai un jour. Moi j'aime ben leur Zpagnat, un dérivé du spagat mais avec plus de Sproum. En tout cas, ça remplit son homme. Surtout avec une bonne Molpon ben tablette.

La serveuse a environ 45 ans. C'est Ginette Tanguay 9.2.3. Faut savoir que les filles ont toujours au moins une modification génétique, y'ont toutes des plus grosses boules qu'au début des années 2000. C'est devenu un genre de loi non écrite que toutes les filles devaient se faire modifier de même. C'est cave. Comme les totons sont tous de la même taille, on peut pu vraiment apprécier ce que ça vaut. Anyway.

Y'A PERSONNE QUI A DIT QUE L'AVENIR ÇA DEVAIT ÊTRE PLUS INTELLIGENT!

Ginette me renseigne sur la planète d'Elvis. Cool, c'est pas trop loin. Je mets du gaz pis de l'huile dans mon spatio-jet pis je repars. Je pourrais le faire réparer icitte mais chez Elvis ça va être plus sympathique.

Elvis est le 19e clone de Elvis Aaron Presley. Quand y'ont commencé à faire des clones, la première affaire qu'y'ont faite, c'est de se garrocher sur Elvis pour le ressusciter, y'était temps, y'était sur le bord de pu rester assez de cellules en bon état de marche.

J'ai jamais vu un gène se déhancher de même!

Le Elvis 2.0 a été un gros hit. Ils lui ont écrit des belles chansons pis ils l'ont fait se déhancher pareil que le premier. Le monde en revenaient pas! Quand y'est mort, y'ont continué à le cloner, mais toujours en le modifiant un peu plus.

Une voix plus juste,

← Elvis 2.0

wOOOH

Elvis 8.3.5

Yeah!

Des favoris plus gros!

Elvis 18.9.3

Elvis 12.5.1

Des lèvres plus pulpeuses, un pelvis plus véloce. Plus ça allait, plus ça devenait des caricatures de l'original. Les Elvis 15 pis 16 étaient vraiment plus des grosses jokes qu'autre chose.

yeah

yeah

yeah

Le 19ᵉ Elvis s'est rapidement rendu compte de la gammick pis y'a sacré son camp. Pourtant, y'était quand même pas pire. Une voix qui se rapprochait pas mal de l'original pis du charisme en masse.

As the snow flies
On a cold and gray Chicago mornin'
A poor little baby child is born
In the ghetto
And his mama cries
cause if there's one thing that
she don't need
It's another hungry mouth
to feed
In the ghetto

Y s'est réfugié sur une planète isolée pis y répare des bazous. Sa vraie passion. J'ai eu affaire à lui plusieurs fois, y'est pas mal bon. Y comprend super bien les moteurs complexes pis y s'entend comme pas un avec l'électronique. En plus, y'arrête pas de faire le cave en travaillant.

I'M ALL SHOOK UP!

J'étais bien content de le revoir. Lui aussi avait l'air content. Il a réparé mon spatio-jet en un rien de temps pis il m'a invité à rester chez eux une couple de jours.

On a fait des feux de camp, du dune buggy dans des pits de sable pis on a parlé de comment ça pouvait être d'être une version 1.0.

Y'a chanté pis ça m'a même pas dérangé.

Entre deux jobines j'aime ben ça faire comme les trois quarts du monde : essayer d'en savoir plus sur ma version 1.0. C'est pas ben ben original comme loisir, mais c'est le fun d'en connaître plus sur soi pis sur la Terre. Tsé, c'est quand même toute de là qu'on vient.

Number two!

Ils appellent ça la néo-généalogie. "Néo" parce que tu fais pas des recherches sur tes ancêtres, mais sur tes versions précédentes. Moi c'est plus facile parce que j'ai juste à m'occuper de ma version 1.

wow, les vestiges du blogue de ma version originale !

Ceux qui ont eu une douzaine de clones ont plus de job. Anyway, au final, tout le monde finit quand même par s'intéresser à son 1.0. Moi je suis pas mal content d'éviter le niaisage pis d'aller direct au plus important.

wow, il portait des jeans Levi's!

Et il aimait la poutine et les burgers! Fantastique!

Pour faire de la néo-généalogie il faut aller dans les centres d'archives des villes où a vécu la version qui nous intéresse. Au lieu de mettre l'information à la même place, ils l'ont dispersée aux quatre coins de la galaxie.

←Ici

←Là

Là aussi →

←Là

Et ici aussi

Moi par exemple je suis chanceux, Pierre Bouchard 1.0 vivait à une époque où il y avait pas de spatio-jet, ça fait qu'il restait juste sur la Terre. Ce qui complique les choses c'est que la Terre est devenue un gros incinérateur à déchets.

Toutes les villes ont dû être reconstruites, mais dispersées sur une centaine de planètes différentes.

Y'a pas une planète dans tout l'Univers qui réunissait toutes les mêmes conditions que la planète bleue. Y'en a qui trouvent ça dommage, moi ça me fait voyager.

Ce qui est un peu poche, c'est que les villes ont pas été regroupées de la même façon que sur la Terre. Moi j'ai trois places à faire pour avancer dans mes recherches. La planète **XL-224** pour aller à Québec **3.0**, l'astéroïde **BD1422-324** * pour aller au Lac-Saint-Jean 2.0, pis l'exo-planète ST1332-987 pour aller à Montréal 2.0.

* Du nom de son découvreur, le célèbre astrophysicien Bernard Derome 14.2.2.

Si Québec est une version 3, c'est parce que la version 2 avait été construite sur une swompe pis a s'est rapidement embourbée. Y'ont dû la refaire à l'identique ailleurs.

NOUS ALLONS
Y ARRIVER!
HO-HISSE!

Mais comme je disais, les villes sont refaites, mais pas forcément dans les mêmes conditions que les originales.

Par exemple, Québec 3.0 est située sur l'équateur de la planète. Il fait chaud en cibolak. Mais grâce à une technologie holographique, les saisons sont respectées. Y'a un automne venteux avec plein de feuilles qui volent, pis un hiver qui dure six mois.

Maudit hiver de marde.

L'hiver est impressionnant. Ça donne vraiment une bonne idée de ce que ça peut être, à part quy fait chaud. Moi je trouve ça drôle d'être en culottes courtes pis en gougounes avec les deux pieds dans' slotche.

Clone de Régis Labeaume

VROUM

ROARR

Estifi de gros grader

Le plus drôle, c'est que même si la neige est en hologramme, ben la ville continue de payer pour des gros trucks de déneigement. Pis comme les cols bleus sont pas fous et qu'ils veulent pas charrier du vide, c'est des clones des anciens maires qui conduisent eux-mêmes les camions. Une fois j'ai vu la mairesse Andrée Boucher 13.6.9 conduire un estifi de gros grader.

Tantôt j'ai dit que Québec était refaite à l'identique, mais c'est pas tout à fait vrai. Je vois ben par mes recherches que y'a des choses qui ont pas rapport. Le Mausolée André Arthur par exemple. Quand l'original est mort sur Terre, y'ont pas construit un mausolée, pis y'avait pas une secte qui le gérait. Astheure c'est fucké parce que y'a une gang de monde qui portent toute une moustache pis des noeuds papillon et qui écoutent en boucle des vieux enregistrements de CHRC.

À l'intérieur du Mausolée, y'a une grosse statue de André Arthur, pis plein de vitraux de ceux qui ont suivi ses traces comme animateurs de radio (y'en a de toutes sortes: des petits, des gros, des chauves, des qui portent une calotte). Chu pas mal certain qu'Arthur trouverait que ça a pas rapport toute ça.

Au centre d'archives, y'avait pas grand nouveau.
Leur fonds d'archives est limité. Y mettent
plus d'argent dans le déneigement faut croire. Au moins,
je peux relire des Fanzines Bidon. C'était vraiment cool.
Des fois je me dis que c'est dommage que le monde dessinent pu.
Toute ça à cause d'une machine que je vais vous reparler
plus en détail.

Après ça, ben, direction le Lac. Cinq heures de spatio-jet
pis deux déplacements quantiques (pour les longues distances).
Le Lac-Saint-Jean c'est un village, pis on dirait que
pour les villages, on se sacre encore plus de où était
situé l'original. Ça donne qu'au Lac 2.0, ben y'a pas
de lac pantoute à l'entour.

C'est dans le désert pis c'est devenu une proche banlieue de Dubaï 2.0. Le maire Réjean Tremblay 6.6.6 s'en sacre un peu. Être en banlieue d'une grosse ville comme Dubaï, ça fait baisser ton taux de chômage.

Moi j'hais ça aller au Lac 2.0, ça sent trop le fake. Pis leur fonds d'archives est complètement ridicule. La seule affaire qu'il y a, c'est deux albums photo de Pierre quand y'était petit ou ado. Les photos de 4-roues sont drôles. Elles me font penser à mon spatio-jet.

Cibolak, une chance que chu pas son clone ado!

À Montréal 2.0, y'a pas grand-chose, mais c'est normal, Pierre Bouchard 1.0 a pas habité là vraiment. Il a fait des expositions des fois mais c'est toute. C'est pas trop grave, c'est toujours le fun d'aller niaiser à Montréal.

Cette fois-là par contre, y'avaient eu du nouveau stock. Dont un article de journal qui parlait de la possibilité qu'il y ait un rapport entre Pierre Bouchard 1.0 pis le Motel Galactic (qui est situé en banlieue de la Voie lactée). Rapport. C'est impossible qu'y soit allé. Son 4-roues avait même pas d'ailes. Ça a quand même piqué ma curiosité. Faudrait ben que j'aille voir un moment donné.

Aujourd'hui j'ai un contrat pour une jobine dans le système d'Andromède. C't'un peu loin pour mon spatio-jet, mais comme on dit, d'la job ça se refuse pas.

C'est pas la première fois que je fais de quoi pour ce client-là, c'est dans un genre de commune où vivent plein de granolas.

Ça c'est du monde qui font toute eux-mêmes: leur bouffe,

leur linge, leurs meubles.

Pour se faire un peu de cash, ils fabriquent du fromage qu'ils revendent partout sur leur planète.

PSCHÜTT
PSCHÜT

Y'est bon en titi leur fromage!

Une autre affaire de fuckée, c'est qu'ils ont plein d'enfants, mais c'est pas des clones. C'est des vraies versions 1.0, comme dans l'ancien temps.

M'a t'pogner!

Ah! le méchant loup!

Fabriqués à l'ancienne on pourrait dire.

chu toujours un peu mal à l'aise devant des versions 1.0. Mais il paraît que c'est normal. C'est l'effet CARL MAROTTE 14.5.2,

Là y faut que je vous explique. Le premier Carl Marotte était une vedette connue au Québec. Y'avait joué un joueur de hockey dans une série télé (dans le temps qu'y'avait pas les machines à penser).

ARRÊTE TU VAS M'FAIRE BRAILLER!

Enweille Jimmy t'es capab'!

Ses clones ont aussi essayé de devenir des joueurs de hockey. Sans succès.

Pouf pouf

LOSER

Ça roule!

Hi hi

Y'en a même qui ont essayé de percer dans le domaine de la tévé pis du cinéma. Sans succès non plus.

La version 14 s'est comme écoeurée pis a l'a décidé que elle, a voulait faire d'la science.

Quin toué!

Losers!

Carl Marotte 14.5.2 est devenu un physio-psychologue ben réputé. Y'a identifié un état ben spécial: quand un clone rencontre une version 1.0, il ressent TOUJOURS un mélange de jalousie et d'inconfort.
Ça peut même donner des nausées.

Les scientifiques ont eu beau répéter que:

Les clones ne sont pas des sous-hommes!

Mais des hommes à part entière.

L'effet demeure. Pis c'est pas plaisant, je vous en passe un papier.

Mais à part de ça, la place est ben chill. Le monde de la commune s'en font pas avec la vie.

COOOOOO!

Go

Je sais pas trop si c'est ce qu'y mangent, mais les filles sont pas mal 'cutes en plus. Une affaire drôle c'est qu'y'a plusieurs clones de féministes. Je pense que c'est les seuls clones qui se font pas implanter des gros seins à leur naissance. C'est rafraîchissant de voir ça. Y'a comme un petit côté exotique.

C'est quoi l'affaire? T'as des faux seins woman?!

Euh... c'est mes vrais!

Aujourd'hui c'est leur cuve en acier où ils mélangent leur fromage qui est pétée. Une petite soudure pis l'affaire est ketchup. Pour me remercier, en plus de me payer, ils m'ont offert de rester une couple de jours. C'est gentil, mais je pense pas rester plus qu'une nuit.

D'abord y fait déjà noir pis chu fatigué, mais c'est surtout que y'a ben que trop de 1.0, des enfants pis des ados, qui couraillent partout.

Ça c'est quoi ?

Pierre Bouchard !

La soirée a quand même été sympathique.
Y'en a qui ont joué des vieux instruments qu'on
voit pu (violons, guitares), d'autres qui ont raconté
des histoires de l'ancien temps. Une de celles-là
c'était l'histoire d'un jeune qui remonte dans le
passé à l'aide d'un char de luxe.

J'aime ben ça les histoires de char!

Leur p'tit vin maison était pas pire pantoute aussi. Ça aide à se sentir plus à l'aise avec le monde. C'est peut-être ça le truc pour endurer les T.O : prendre d'la boisson. Ça m'a aussi aidé à faire les yeux doux à une des filles. À la fin de la soirée c'est elle qui m'a conduit à ma chambre.

Échanger les pensées, c'est vraiment un piège à cons. Pour comprendre, il faut que je vous explique comme il faut la fameuse machine à montrer les pensées.

Ces SUCES-là captent les images que t'as dans le coco pis les retransmettent sur un écran. Si t'as du budget tu peux t'équiper d'un projecteur holographique.

Ça, c'est quand ça marche dans une direction, mais ça peut être à sens unique des deux bords. Tu peux te brancher avec quelqu'un d'autre pis inverser la polarité. Ça fait que l'autre se sent exactement comme toi, pis toi tu peux vivre les émotions de l'autre. C'est un peu épeurant au début...

Les fois que j'ai fait ça avec une fille je l'ai regretté pas à peu près. Tsé, moi j'pense à 'c'que j'pense pis ça m'empêche pas de fonctionner normalement.

Mais pour la plupart des filles c'est vraiment un choc. Sont pas habituées à avoir 90% de leurs pensées occupées par le cul.

Le pire, c'est qu'elles pensent au sexe autant, mais elles te font toujours sentir que c'est toi le pervers. Chu tanné.

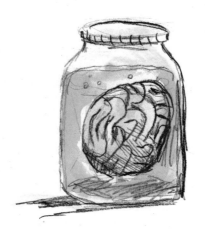

Mon spatio-jet était ben setté. Si mon
calcul était bon, dans une heure j'arriverais au
Motel Galactic (si y'avait pas trop de trafic rendu
dans le coin d'Andromède).

Ne prenez pas par la galaxie Rabagliati, c'est bumper à bumper!

Dans le boutte de la ceinture d'astéroïdes
Yokozuna - 34433 - 87, je croise un pouceux sur
un astéroïde isolé.

Je décide de l'embarquer, mais en m'arrêtant, je me rends compte que le gars tient dans ses mains un bocal rempli d'un liquide avec un cerveau dedans. Weird.

Marci man! T'es vraiment blood!

Pis je le soupçonne d'être une version 1.0 ce gars-là... Le fait d'être proche de lui me donne des petits hauts-le-coeur. J'aurais peut-être dû laisser faire pis le laisser sur son astéroïde. Anyway, là y'est trop tard.

J'me dompte pas!

Hey ! Là je commence à n'avoir mon cass' des cachotteries. J'ai posé mon spatio-jet sur une ruine de satellite qui traînait dans le coin.

C'est rare que je sacre, mais là chu en beau joual vert.

Y font des expériences avec la vie... Pis tsé, c'est pas parce qu'on est dans le futur qu'il faut se donner le droit de jouer avec la vie... C'est ben précieux la vie...

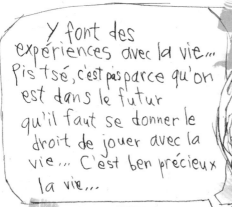

PAS encore un maudit granola bizarre qui parle en énigmes. Pourtant, Jésus 12.5.3 habite pas dans le coin. (Ben oui... y'ont cloné Jésus, pensez-vous vraiment qu'ils allaient se priver... scusez si chu bête).

HEY! Si tu sais de quoi sur le Motel Galactic, tu me le dis tu-suite ou ben je t'amène à la SQ.*

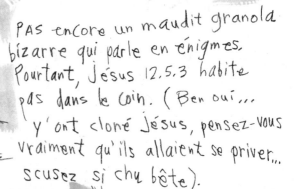

* Sûreté des Quasars.

j'ai été assistant dans un gros laboratoire y'là trente ans... On s'affairait à perfectionner les méthodes de clonage. L'équipe dans laquelle je travaillais était dirigée par le meilleur biologiste de l'Univers, le docteur Douglas « Doogie » Howser 8.7.2. Y clonait ce qu'y voulait comme y voulait, avec toutes les retouches qu'on lui demandait. Mais lui, le clonage, ça l'intéressait pas tant que ça.

Son rêve c'était de prolonger la vie. Mais avec des clones, il trouvait pas ça drôle.

Si j'vous comprends bien...

Un jour, il nous a amené de quoi de spécial. Quelque chose qu'il venait de piquer dans les réserves du Gouvernement Universel : un gros bloc de glace datant de l'époque où la Terre était habitée. Dedans, y'avait un jeune pogné dans la glace avec une drôle de machine, un genre de spatio-jet mais avec des skis. À partir de ce moment-là, le doc est devenu comme fou. Il disait :

CALVÂSSE

Vous rendez-vous compte ? Un humain de la Terre en parfait état... je suis sûr que je peux le ramener à la vie et qu'il peut nous apprendre plein de choses. Genre comment pêcher les petits poissons des chenaux ou si le but d'Alain Côté était bon...

AVEZ-VOUS RÉUSSI?

PRESQUE... Mais la marde a pogné au centre de l'équipe. On était trois en plus du docteur à travailler là-dessus non-stop. Y'en a un qui est allé bavasser à un journaliste. Heureusement, il a pas dit grand-chose. Y'avait une fille aussi, mais elle ça l'écœurait qu'on joue avec la vie de même. C'était une espèce de peace and love qui a fini par sacrer son camp. À la fin, y restait plus rien que le docteur et moi.

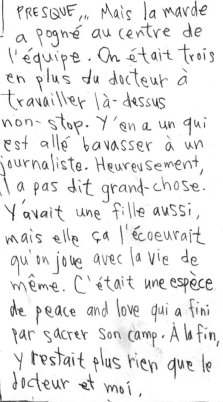

j'ai la main qui shake sur la manette du gaz de
mon spatio-jet. Crimepoffe... je vais voir mon 1.0.
Comment je vas faire pour affronter sa?
Carl Marotte 14.5.2 a jamais dit ce qui arrivait
quand tu rencontrais __ton__ 1.0... Je vais sûrement
dégueuler mes tripes.

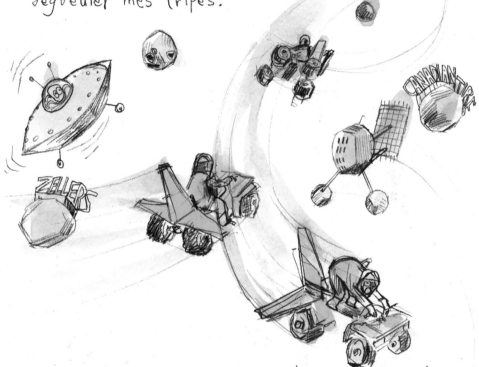

Maudit... Tsé, moi ce que je veux c'est une vie pas trop
compliquée. Faire des jobines, voler sur mon spatio-jet
pis le réparer quand y faut, niaiser sur le bord d'un feu
avec des amis, genre Elvis... Qu'est-ce que j'ai fait au
petit Jésus 1.0 pour mériter ça?

Juste pour pas vous mêler, je vous ai dit qu'ils avaient cloné Jésus, mais aucun a été capable d'être aussi inspirant que le premier.

Jésus 1.0

Le dernier en date est maintenant vendeur de chars usagés, mais il vend juste de la scrap. Y'est encore plus crosseur qu'un Sprougnien.

pas cher

Ça a appartenu à un curé, ma petite madame!

pschilt

Le Motel Galactic... Un des plus vieux motels encore en opération à l'ouest de la Voie lactée. La décoration a pas tellement changé depuis cent ans, le prix des siestes non plus.

RÉCE   ION

Pour une sieste?

Ouaip.

Une bonne sieste.

7.7

C'est encore fréquenté par les truckers intergalactiques qui ont besoin d'arrêter dans leur run. Le boss est un Sprougnien, mais c'est Solange 17.8.12 qui est à la réception. Solange est là de génération en génération (de clones).

RÉCEPTION

pourquoi ça toffe de même ?

Hihihi! Eh que vous êtes fou boss!

C'est parce qu'ils clonent le décolleté de Solange à l'identique à chaque fois!

POSTE
+ VITE QUE LE WEB

HYDRO

67

À l'intérieur y'avait une forte odeur de moisi qui m'a pogné au cœur. Fallait absolument que j'ouvre une fenêtre.

Un coup la peur passée, je me suis rendu compte que ce 1.0 était pas dangereux pantoute. C'était juste un pauv'gars pogné dans une chambre de motel depuis une **trentaine** d'années pis plogué à une machine qui avait pas l'air à ben y servir.

C'est là que j'ai pris la plus grande décision de ma vie. J'allais retrouver le pouceux, y fourrer deux-trois taloches pis remettre le cerveau à sa place... dans mon T.O. Pis en plus de ça, j'amènerais Pierre. Ça lui ferait voir autre chose qu'une chambre de motel.

Le pouceux s'était poussé sur une comète.

Ça peut aller loin en soda dans l'Univers. J'avais pas fini de chercher. Mais j'étais prêt « to explore strange new worlds to boldly go where no man gars du lac has gone before »*.

* J'ai pris c'te phrase-là dans une vieille série d'émissions documentaires sur le futur.

C'est ben beau de dire que je vais chercher le Pouceux pour récupérer le cerveau, mais faut toujours ben que je le retrouve. Je me suis renseigné pour savoir c'était quelle comète qui était passée par là.

C'était la comète La Parisienne *. Elle a un des plus longs parcours. Elle va jusque dans la zone proscrite.

C'est proscrit parce qu'ils n'ont pas fini de l'explorer. Mais c'est pas ben len grave. Ils ont jamais vraiment surveillé. Pis c'est connu que le début de cette zone-là est toujours plein d'amoureux qui viennent faire du necking.

hum continue

Ah oui Roger!

oui oui oui

* Du nom de la compagnie qui assure son entretien.

La fille au comptoir d'information était ben swell.
Elle nous a laissé un plan du trajet de la comète. En
arrêtant sur les planètes principales croisées par la
comète pis en posant deux-trois questions, on avait
peut-être une chance de retrouver le pouceux.

La première planète
était comme une boule de
quilles, toute lisse. Elle
était peuplée par du monde
qui faisaient juste jouer au
curling. C'est pas pire le
curling, relax, pis toute.
La gang était l'fun aussi,
même si ma description
du pouceux leur disait rien.

On l'aurait
repéré facilement,
ton gars, c'est le
seul de la place
qui aurait pas
eu de balai.

Sur une autre des planètes, la totalité de la surface était recouverte par un shack en bois rond super étendu. À l'intérieur, c'était plein de vieux en chemises à carreaux qui buvaient des vieilles marques de bière en parlant de chasse pis de pêche. Une affaire de bizarre, c'est que y'avait pu l'air d'avoir de nature sur c'te planète-là, pis encore moins d'animaux. Un des plus jeunes m'a tout expliqué.

En fait, on se transmet les histoires de chasse de nos ancêtres de génération en génération.

J'te l'dis mon homme, y'était gros de même, violet avec des pois jaunes pis trois gros yeux.

Je soupçonne les histoires de s'être déformées un peu avec le temps.

Ça fait qu'on a quitté la planète. Mon 1.0
continuait d'être ben tranquille. Y'était vraiment
pas de trouble. La seule fois qu'y s'est un peu agité
c'est sur la planète d'après.

Ici, c'est comme un voyage dans le temps. Partout où on regarde, c'est juste des vieilles cochonneries de l'ancien temps.

Le nombre de tévés est impressionnant. C'est fou à quel point ça les obsédait ces cossins-là.

Pendant que je regardais les vieilleries, je me suis pas rendu compte que Pierre 1.0 s'était éloigné. Je le voyais pus. Heureusement l'antiquaire m'a dit où qu'y était.

Mon 1.0 était au milieu de toiles, de crayons, de pinceaux. Y trippait ben raide. C'est bizarre, c'est comme si c'était ses nerfs pis son instinct qui l'avaient poussé à prendre ça.

Enweille, redonne ça au monsieur, ça doit coûter une maudite beurrée ces bébelles-là...

Bof, y'a pu grand-monde qui s'intéresse à cette section-là, je peux ben y laisser si ça y fait plaisir...

On est repartis tu-suite après. J'avais un peu peur que mon 1.0 veuille amener tous les cossins de la planète. Mon spatio-jet est pas assez grand pour toute ça.

Une planète dominée par les siffleux.

Une planète de lutteurs mexicains.

Une planète enneigée où les gens se déplacent sur des crazy carpets modifiées.

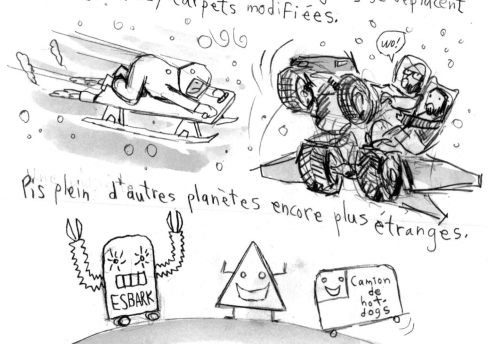

Pis plein d'autres planètes encore plus étranges.

À force de voler de planète en planète, j'en ai oublié l'entretien de mon spatio-jet... Fait que qu'est-ce que vous pensez qui est arrivé...

Là on était mal pris en sivouplaît. Pu d'essence pis le spatio-jet en morceaux.

Comme si c'était pas assez, y'a un ti-cul habillé avec des pantalons pattes d'éléphant qui est venu nous gosser pour avoir des dessins.

Dessinez-moi un mouton.

89

Le ti-cul avait une bonne idée, j'ai pu profiter d'une migration d'oiseaux sauvages pour aller chercher de la gazoline.

Quand je suis revenu, j'avais une saprée bonne nouvelle !

PIERRE! PIERRE! J'AI DES NOUVELLES DU POUCEUX!

Qu'est-ce qui y prend lui?

Les gars du garage m'ont dit que le pouceux était passé dix minutes avant moi. Une vraie luck! Il cherchait un barbier. Y'aurait dû me le demander, j'y aurais dégagé les oreilles dans le temps de le dire.

Le barbier y'est sur l'astéroïde juste en face!

Ils m'ont dit aussi qu'y'avait quelqu'un d'autre qui était passé juste avant moi pour demander la même affaire. Coudonc, y'aurait-tu piqué d'autres cerveaux en chemin?

Un coup le docteur remis de ses émotions, on a pu discuter. On est allés manger dans un shack à patates que j'avais repéré sur le chemin.

Ouin, on venait casser la gueule à c'te voleur de cerveau, mais vous y'avez déjà pas mal arrangé le portrait.

Ouin, je suis malheureusement plus fort qu'un ado de 14 ans.

C'est là qu'il m'a expliqué que son 1.0 était un comédien très connu qui interprétait le rôle d'un jeune médecin prodigieux âgé de seulement 14 ans. Les clones qui ont suivis ont tous tentés de rendre hommage à « Doogie » Howser, sans succès. La plupart sont devenus de grands hommes de médecine ou de grands chercheurs, mais aucun n'a réussi à devenir un spécialiste à l'âge de 14 ans. Ça les a tous déprimés. Celui-là y compris.

SLURP

Tu peux faire moins de bruit s'il te plaît?

MAis qu'est-ce que vous faites icitte? Pourquoi vous vouliez y donner des mornifles au pouceux?

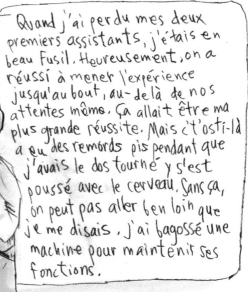

Quand j'ai perdu mes deux premiers assistants, j'étais en beau Fusil. Heureusement, on a réussi à mener l'expérience jusqu'au bout, au-delà de nos attentes même. Ça allait être ma plus grande réussite. Mais c't'osti-là a eu des remords pis pendant que j'avais le dos tourné y s'est poussé avec le cerveau. Sans ça, on peut pas aller ben loin que je me disais. J'ai bagossé une machine pour maintenir ses fonctions.

Faut croire que son métabolisme s'est tellement accoutumé à la longue qu'il a pu besoin de machine.

Ça fait trente ans que je cherche sans répit mon ancien assistant pis le cerveau qu'il a volé, avec toujours la rage au coeur, pis un tigre dans l'oeil...

Après avoir bien mangé, le docteur Doogie se sentait d'attaque pour remettre le cerveau de Pierre 1.0 à sa place. Il avait son kit à portée de main. Le doc m'a expliqué que c'était pas une opération super compliquée, que la médecine moderne avait tellement progressé dans les deux cents dernières années que de rebrancher un cerveau était pas plus compliqué que de se mettre du Clearasil 6000 dans la face.

Ça fait qu'on a étendu Pierre 1.0 sur le comptoir du snack-bar.

Vous êtes sûr que ça vous dérange pas?

Noh non c'est beau. J'vas aller éplucher des patates en attendant.

Effectivement, ça avait l'air d'être vraiment un pet. Attache deux-trois neurones ensemble, mets un peu de vaseline (de la mayonnaise dans ce cas-ci), pique à deux-trois places pour t'assurer que ça réagit bien. Ça a l'air plus simple que de réparer un spatio-jet. J'aurais donc dû aller en médecine...

Même si ça avait l'air facile, moi j'étais nerveux. Tsé, mon 1.0 était comme un mort qui vivait, il avait pas conscience de grand-chose. Comment il allait réagir en voyant où il était, pis surtout à quelle époque il était?

Après l'opération (qui a duré cinq minutes), Pierre Bouchard 1.0 a pris un gros deux minutes pour se remettre sur le piton. Deux minutes qui m'en ont paru le double.

Note à Carl Marotte 14.5.2. : Pour avoir un malaise 1.0 (et encore plus devant son propre 1.0), ça prend un corps AVEC le cerveau...

Heureusement, j'ai pas été malade de même ben longtemps. Après, j'ai pu y expliquer notre monde : les clones, les machines à penser, les spatio-jets, le Motel Galactic, Elvis 19.10.9 pis toute pis toute. Ça avait pas l'air de ben l'impressionner.

À un moment donné, je l'ai vu prendre un des crayons qu'il avait piqués chez l'antiquaire. Il s'est mis à le frotter sur la tank à gaz de mon engin. J'aime pas ben ben ça quand quelqu'un gosse après mon spatio-jet, même si c'est ma première version.

Crime... ça doit être ça dessiner, c'est hot, j'y ai demandé si ça y tentait d'essayer la machine à penser, juste pour voir ce que ça donnerait.

Pas full... Mes dessins sont pas juste dans ma tête, y sont dans mes bras pis mes mains. Si je faisais direct ce que j'ai dans la tête, y'aurait pas de surprises tsé. Je le sais c'qu'y a dans ma tête...

J'avais jamais vu ça de même...

ÉPILOGUE

J'ai invité tout ce beau monde-là à venir vivre chez nous. Ça me fait de la compagnie : Pierre Bouchard s'amuse à dessiner partout pis le docteur Doogie peut recommencer à penser à sa prochaine expérience : Comment avoir un corps de gars de 14 ans...

Sûrement que la vie dans l'espace va nous réserver d'autres aventures, mais pour le moment on prend ça chill, pis moé j'épate tout le monde avec mon beau spatio-jet.

francis desharnais   Pierre Bouchard

Des mêmes auteurs

Pierre Bouchard
L'île-aux-ours, Mécanique générale, 2007
Ti-Jésus de plâtre, Colosse, 2008

Francis Desharnais
Burquette, Éditions Les 400 coups, 2008
Burquette Tome 2, Éditions Les 400 coups, 2010

Du même éditeur

Yves, le roi de la cruise, Alexandre Simard et Luc Bossé, 2010
Apnée, Zviane, 2010

Motel Galactic a été achevé d'imprimer en mars 2011 sur du papier qui contient 100% de fibres postconsommation, sur les presses de l'imprimerie Gauvin à Gatineau.

www.editionspowpow.com